# 左窗之旅 MY LEFT EYE

## 目錄

左窗之旅 MY LEFT EYE

次

章 自我陶醉 INDULGE MYSELF

左窗之旅 MY LEFT EYE

## 參章 自得其樂 SELF - CONTENTMENT

左窗之旅 MY LEFT EYE

肆章 自遊自在 FREE AND EASY

## 編者的話

# 推薦序

六年忠班 李元源

意如是一個如假包換，真真實實的水瓶座女生：
喜愛自由、討厭束縛、不按牌理出牌、聰明知性、是聊天的好對象；
有著天生的理性，了解人類內心的本事，對創新的事物特別感興趣。

我們的相逢源自台北的私立新民小學三年級，週末常常相約玩耍，
儘管畢業後各自去了不同的國中，之後我跟家人又移居國外，
這五十多年來我們一直靠著一年一張聖誕卡片，保持聯絡至今。

二零一八年她隨先生搬到劍橋，剛到一個人生地不熟的地方，
沒有朋友相伴，常常感到寂寞和挫敗，但也因為如此，
讓她有更多的時間和靈感去創作，藉著寫詩和攝影抒發，找回自己。

今天她決定要給自己人生一件想都沒想過的禮物：
一本獨一無二，印著她自己名字的［書］。
真心的推薦分享，恭喜意如。

# 作者序

張意如

回頭看序的初稿 寫於二零二零年 不知不覺的來到了二零二二年
很費力的自我陶侃 不要天馬行空 將藉口放一邊 這次要落實執行
有本事真想一句話 道盡自己不太正經的態度 沒有遠大的目標計劃
九彎十八拐的走到年過半百 也許是累積的人生體驗與領悟使然
看著說雙語長大的孩子們 心想是否能在身後留給他們點什麼
與自己連結的紀念

翻閱二零一四年 隨著老二上國中 老大也剩最後一年高中
整個家庭生活步調逐漸改變
從前被壓縮的時間空間一下子膨脹的讓人發慌
父母的種種回憶翻騰 站在過往與今後的交叉點 自己在那裡

意識爆發渲染的情緒 開始書寫紀錄

喜歡簡潔 於是文字化成了詩 一場字型排列組合的遊戲

最能抓住我短暫的注意力 滿足創新的思維

此時喜歡的英文字卻無法盡書表達 於是遊走在中文字裡行間

將想像呈現 居然玩得不亦樂乎 無法自拔

累積至今已寫了三百多首 由於自己的視力日漸模糊 突然時間變得迫切

與弟弟討論之後 結合平日攝影的作品 就開始醞釀了這趟選詩的旅程

希望不虛此行 在光影之際 與你相遇 共遊文字的美麗世界

＊本書得來不易

感謝 **Michael Topham** 佟文邁先生的贊助發行和英文翻譯 以及

張肖龍先生選詩配圖的編輯

## 發行人的話　　　　佟文邁

Chinese also offers the opportunity to include a lot of puns, invent new expressions, and to draw on the rich knowledge of four-character-expressions and the stories that lie behind them.

In an attempt to give English language readers some flavour of this the book includes a number of 'translations'.

I feel that they don't on the whole do justice to the Chinese poems but at least they are a start for the English reader; and should Iris wish to explore translations further.

The process was for Iris, or her brother and editor Bruce, to produce a draft, for me to review the best I could, and then for me to spend an intense session with Iris, when she would explain each part of the poem to me in Chinese.

Together we would attempt to produce an English reflection. Chinese translations to English are notably tricky, and as I have read 100 people can translate the same poem and end up with 100 versions!

I am sure you will enjoy this beautiful book. And return to it many times to see both the pictures and to re-read the poems.

Michael Topham

# Foreword

When I first met Iris I would find a good restaurant at the end of the trail to encourage her to go on a walk. That has certainly changed.

It is not just the food but also the enjoyment of being out and observing what is around her. And that can be seen in her photographs.

Now a walk needs to be planned to allow for the frequent stops to take pictures! As you will see there is a wide variety of photographs including our family, friends, buildings and our farm here in Cambridgeshire.

A holiday is an opportunity to look at and capture the character of a fresh environment.

I wasn't aware of Iris writing poems until one day here in Cambridge she mentioned that she had written some poems. I thought oh just one or two, but no! Already she was prolific and now I gather has written more than 365.

Her book presents a selection of these along with accompanying photographs which have some association. Naturally, the poems are in Chinese her mother tongue and language of principal education.

They show a depth and meaning that can in many ways only be expressed in Chinese; including in some the ability to read the same poem right to left and left to right, and from top to bottom – all with a different meaning, but flowing as a single poem in English does in just one direction.

首章

# 自言自語

Chapter I

# Talking to Myself

小時候
大人喝酒
你收集瓶塞

長大後
你不喝酒
酒杯裡襯花

有時候
無言無聲
自在於不同

1是一
主也是客
孤獨的藝術

# 山水

千年以來　物換星移　看盡
人來人去　改朝換代　不留
歷史滄桑　繁華沒落　道盡
街坊瓦弄　腐朽熱鬧　依然
風花雪月　山窮水盡　笑抿

# 這秋

徹夜難耐燥熱　不安的夏
遍尋不見躲藏　秋天的影
催促呼嘯而過　無言的風
轉身飄落不盡　滿地的葉
抬頭藍天相映　斗大的雲
恍然季節交替　悄然已至
逐一換上新色　詩意的情
酒酣之際月圓　時已中秋

## 秘密

止不住
森林的呼喚
追不上
太陽已偏
回眸時
夜色已至
看不清
心情已濁
牽引著
秘密已出

# 浮空

我看世界啊
眼底之浮　盡在他人
餘光之下　無自我
嚮往之虞　猜疑鬥爭
虛幻之境　苦無路
思想之空　行屍走肉
靈魂之需　仰望主

主說回來吧
在這樣紛擾的社會
你要憑著信心
隔絕外界的雜音
回到丹田呼吸　定心養氣
因此得以聽見
屬靈的智慧

## 悟誤

慕意於情溢於情
執著於苦困於苦
亦步亦停不自禁
如詩若畫滯若霧
葉兒襯花無真偽
孤性獨行難成雙
舟行倜儻愁悟誤

## 真理

如鏡子 反射
如玻璃 穿透
如空氣 自由

若 過度追求
如光害 蒙蔽

小小框框我的世界
讓我看見天空白雲
讓我聽見鳥兒歌唱
感受風雨雷聲作響
週而復始生命之力

世界之大不在一室
心靈之寬只在一念

祈求天父開一扇窗
卻多許了我一陽台

# 驚喜

## 表 白

慌 慌張地在夢裡追 想要

說 說那些久藏心底的 話

別 別讓漫長的等待 留白

逆 逆著強風任性的吹 竟

飄 飄回我的起點黯然 散落

## 交 託

給我一個訊息 鮮明的暗示
抹去千萬個灰色瞬間
剪碎厚重的記憶 撒向天際

給我一個理由 絕妙的藉口
編成沒有傷痛的故事
滿載著情依著心 四處流浪

給我一個天地 獨特的舞台
盡興揮灑上帝的巧思
領受活著的驚喜 灌溉生命

..... This is my prayer

# 幻影

傳說中的美引人著迷
摸不清的謎令人嘆息
短暫的相聚怎會煩膩
心之所繫模糊了距離
一如那細若絲線　忽隱忽現
一如那水若潮汐　忽近忽遠
一如那情若生活　忽苦忽甜
一如那景若夢境　且戀且忘
不過是茶餘談笑風聲　何妨

# 失落

若不是一起走過　擁有的曾經
數不清　多少相聚的歡笑聲

你怎會懂　離別後的惱人不振
盤懸思緒裡　一幕幕虛晃的場景

模糊空蕩的失落　攪和著胃液
越夜越靜的天空　黑裡有些blue

# 雪霜

乍看一波波
湧上岸的水花
又似糖霜撒下
靜謐地 點綴
萬物蟄伏地
休憩的冬
無色的話語
冰冷 徹底
消磨 熱情

經過我嘴裡
說的 口沫橫飛
頭頭是道 全是廢話

留意我心底
未說 有無 不盡然
要命的 真誠赤裸

關於 口是心非
在於 帶著傻氣
順勢轉化 成就歡樂

# 幽默對待諷刺

一花一草頻送波
芽兒萌萌忙伸展
風雨熱情來攪和
臨春意濃興盎然

---

Each flower and grass sending waves

Shoots and buds are busily stretching

Enthusiasm to stir up the wind and rain

Coming spring is full of excitement

畫。舞。吟。夢

夜柔輕撚畫燭光
手揮袖飄舞檀香
風勁對影吟音涼
心城懷舊夢歸鄉

*draw to paint*

*dance to play*

*sing to read*

*dream to live*

它
讓人膽顫心驚
潛在幽幽的光譜中
帶有巨大的殺傷力
快速的 傳播依附
懷疑瞎猜 緊貼心頭
逐漸形成 夢魘

它
名叫 * 害怕 * 的念頭
存在與否 取決於自己

---

It
Lets one tremble with fear
In the faint light spectrum
With enormous lethality
Quickly spreads out, bonding
Suspicious guessing, attaches to the mind
Gradually forms, nightmares

It
Name, thought of fear
Exists or not, depends on you

不過數個世代　純白已逝

始於驕傲　抬不起沈重

回頭看　歷史　地理的變遷

禁不住　茫然傷感

精神與肉體　一併汰盡

動植物　仰天長嘯哭嚎

人類無力顫抖　捫心自問

是誰　誰是

毀滅地球的劊子手

收起口沫　覺醒有知

讓風奔馳　讓雨紛飛

洗淨大地　回歸自然

EDITH
CAVELL
1865 ~ 1915
I HAVE REALISED THAT
PATRIOTISM IS NOT ENOUGH
I MUST HAVE NO HATRED OR BITTERNESS

千萬個好奇　HOW & WHY

所有的現象

會用何種方式呈現

大自然也要出口

儆醒　感謝　體悟珍惜

一如情緒來了

蛻變的過程

坐在翹翹板上的人生

失去與獲得間的平衡

不定睛在像蒼蠅般的人言

我　就是一株小草　陪襯

我　就是一顆蔥　提味也好

次章

# 自我陶醉

## 黃昏

夕陽彩衣踏浪去　一抹紅霞畫藍天　雲伴佳人不想離　風吹椰林意闌珊

Chapter II

# INDULGE MYSELF

雲散　月皎潔
街燈映影　茫然
落葉已乾　清脆踩
回音似昨　笑開懷
全攬著　相思如煙
揉情搓心　眼角微醺
歲月之重　提不起
意念之輕　放不下
年少不懂　奈何惆悵

。心急。

圖想

一探

踱步尋思問

。語澀。

話說

一抿

唇乾吞吐難

。眼茫。

孰能

一撇

無視掩情深

。執念。

僅此

一閃

殘存夢相伴

## 釋　放

去吧　無畏的精神

Set the words free

釋放字的自由

我們藉此得以

暢快地發揮

創造清新的步調

安慰心靈的力量

不再隔離 遠遠的相望

成就了一顆顆

溫柔彼此的心

STAY HOME
ESSENTIAL
TRAVEL ONLY

寧靜的傍晚　太陽躲在雲朵間
海浪與貝殼　不懈的玩著躲貓貓
追逐瞬間綻放　剎那即逝的美麗

脫去一身疲憊　吸吐之際　沈澱
鬆動深皺的眉　抖動僵硬的肩
從何而來飄向何處　沉浮游移

凌晨下霧　緩緩渲染了地平線
久渴的希望　尋回港灣的溫柔
滋潤乾涸不滯　舒暢心靈之溪

遠處祥和的鐘聲　安穩的問候

比較　是個貪婪的怪獸
縮在陰影處　伺機騷動
讓你以為別人過得比較好
殊不知多數人報喜不報憂

因為．．不想讓你擔心
大家的開心最為重要
憂愁永遠埋在笑臉下

下雨天寫著晴
晴天時寫著雨

原野裡寫樹　寫花朵
花園裡寫海洋　海鷗

也許．．身在沙漠

冬冷寫春　春來寫夏
夏熱寫秋　秋紅迎冬

也許．．身在兩極

也許．．只剩意志

包裝過的一致外表
跟不上豐富的內在變化

其實．．大部分的時間
跟你一樣．．孤單
看著牆壁．．發呆
卡在室內．．寫下室外
似乎有限．．想像無限

空靈的雨滴粉飾
順著窗沿沾滿牆垣
又是透心的濕冷

鐘 指針沈穩的移動
暖氣 水流聲 呼嚕嚕
凝結空虛 找不到出口

黑夜急驟降 驅離餘興

往日常常出現的歡樂
毫不留情 與太陽出走

留下Agatha Christie
營造的灰暗令人窒息

saxophone & trumpet
慵懶的訴說似曾相識
泛黃的記憶逐一檢視

保留的空白 獻給未來

# 瞭　然

對於我的殘破
青春17就已瞭然

與其哀怨耗損一生
不如拾起生命熱情

如今置身荒誕時代
但求外冷心不寒

孤獨有感無力叫囂
剩下的……留給

日月見證幻夢星際

# 停　電

小小的世界沉寂了

房子顯得空蕩蕩的

原來燈光　是一種聲音

收起目光　聽得見另一種熱鬧

風速　水滴　樹葉　單純的窸窣

失靈的保全系統也哼著　嗚嗚

心如明鏡的體會　一一呈現

生活中輕忽的理所當然

黑暗中無關其他　與自己相處

停 電 的 每一秒 。。。

字　散亂的　躺著
目中無人　姿態挑釁

繆思不來　目光渙散

只剩　空氣　還在流動
遙遠的意義　擺盪中

Very Very Good
音樂是生活的必需品
The Next Big Thing 年終回顧
每一天都可以冒
攝影師 池田晶紀
很多很多發呆的時間

# 遇

我在天真無邪的幼年遇過你
我在暈頭轉向的求學時遇見你
我在人山人海大街的轉角遇到你
我在共同朋友的婚禮上又巧遇你
然後　跟著四季不停的輪轉
我就把你給忘了　徹底的忘了
好像　遙遠的流星劃過宇宙
不曾停留　不曾相識　不相干
只是偶爾一閃　腦海裡波動的紋路
隱隱存在的線條　恰似你模糊的身影

# 呆滯

無論如何費力的安排
翻箱倒櫃尋覓線索
揮舞掃帚重整思緒
靈感卻浮現不規則的律動
我在的這裡　看見的那裡
不被拘束的想像空間
想著想不起來的諸事
就是呆呆地彼此傻笑
我和雲兒們的下午茶約會

# 心旅

坐在壁爐旁　暖和的忘了窗外的一股寒意．．．
隨著美麗的小船　搖搖晃晃地進入幻像之旅

天色微藍夏已遠
楓紅呢喃掃熱浪
滿載異想就風帆
山海呼喚樂啟航

# 耳語

耳語　whisper
有什麼想說不能說的
據說是秘密
心頭震盪　掉入抉擇的漩渦
津津樂道　流言沒有期限
靜默　咀嚼沒有時限
風吹雨打的傷痛終會結疤
滋養　茁壯　千萬個細胞
還有什麼不能說的
秘密　終究孤單　留守黑暗
繼續誘惑　想聽的人．．．

JEREMY
CHERIE
NTUNHS
BNE
一日遊
2007.8.22

我提出了一個問號
讓你看見我的存在
你點頭給了一個答案
我那一點點的在乎
瞬間化成美麗的星星

距離遙遠　感受強烈
漸漸大地安靜了下來
雲彩　依然活躍

風暴已至
環境惡劣
人性顯露
生存不易

也許我很脆弱

但沒有人可以剝奪
藏在我心底　依然
發出的微小亮光

也許失去尊嚴

想起曾經伴著我

那些
遇見的美麗
聞過的香味
悅耳的聲音
走過的山川

還有
我摯愛的人
因此 不輕言放棄
繼續溫柔對待 安慰彼此
堅強的鬥志與信念
我們一起見證 度過危機
你在我的禱告中 願主與你同在

You are in my prayer as always
May God be with you
You shall not be afraid ✝

## 影

不想 光陰荏苒
思索 讓人疲憊

潺潺流水 綠蔭小徑
自然景緻依舊 人去
美好時光依戀 留影

## 美 地

路 隱約可見
起於 混沌之初

展現 神秘
時而 空曠無聲
時而 低語迴盪

月光 暗示
層層 花叢之中
疊疊 山石之間

身心疲憊 之時
含著淚 禱告

尋找 必得見
應許 必得著
通往 美之地

## 秋之祭

又一陣子了　親愛的
天氣漸冷　花兒睡了
葉片霸氣的又紅又黃

日子忙碌的忘了告訴你

只不過換了一面窗
呈現出來　意想不到的感懷

你離開這個世界
我離開那個城市

看似輕鬆的旅行
一前一後　景已不然

翩翩落葉　是一層層的思念

季節交替時　鋪滿整個大地

心田深處　你的花依然盛開

## 人在江湖

熱鬧的景物
微笑的臉龐　掩飾不了寂寞
我們是過客
劃過天際的流星　留下孤獨
喧賓奪主的
是誰唱出了　不成形的曖昧
逕自的對話
電線桿於巷弄間　低語流傳
主角或配角
總有一個面相　默默地存在
再也無關表象　隨著喜好呈現

# 轉換

－1偈

近呎之物　對望靜默
遠霧漸攏　陽光顫顫
過路隱沒　背道不曾
嘻笑如昨　憂心黯然
一切如常　一切無常
笑不痛快　意興闌珊

## -2 踹

牽絆 如絲絨纏繞停滯 裹足不前

時間 不應嘆息的理由 自顧放逐

日夜 蹉跎斑駁的面相 刻痕分明

掘起 一個善良的動機 拋下面具

痛快 嘲笑那被偷走的 無緣過往

## -3 留白

天真的像個孩子　沒了包袱
歲月的紋路清晰　沒了掩飾
原來的過往已逝　沒了計較
自由的揮灑調色　沒了框架

而　演完故事拍拍就走的　妳
竟　一派輕鬆自在　哼著旋律
頭也不回的　在我眼底　流逝
我　似乎懂了這戲中的　留白

參章

# 自得其樂

Chapter III

# Self - contentment

# 知己

猶如落入塵世的 種子
一生只為與你 適時的相逢
風雨乾旱 亦奈何不了
含苞癡等 那必然的相遇
自是莫名 牽動的相知
花瓣散落 獨留你的相惜
一世緣盡塵飛 無影的相隨

# 幸福

幸福啊 你環繞著我
可愛輕柔 如影隨行
我視而不見聽而不聞
探究著身子伸出雙手
上山下海 城市鄉間
一路嘶喊著你的名字

從年輕到老邁 拼命
往外尋找 直到
我的身心辜負了我

聽見 你愛憐的耳邊低語
你說 我的別名是 知足

## 謝花

來去 不捨 花謝
妝點 餘輝 謝花

一再修剪只為

多留一會兒
多看一眼

那最後的美好⋯

# 眷戀

一心一意的眷戀
幕簾遮 掩不住
意念紛飛 絲絲繡著
是你 是我 此物 此景
繽紛跳耀 調奏成曲
輕快 悅耳 優雅 迷人
依著春風忘煩憂

# 母親的畫

她溫柔又堅定的眼神
如暗夜裡的一輪明月
輕撫我捲著千愁的髮絲
似融化孤寂的一股暖流
抹去被世事紛擾的心思
我自顧的呢喃寄語天際
愛添滿了行囊伴走天涯

## 吶喊

我遊走在那人生顛簸的路上
看見一個個純真彩色的靈魂
逐漸遭到蹂躪踐踏冷淡漠視
以滿腹的謊言藉口理由餵養
身心靈的創傷一代傳接一代
噢～我最最親愛的大人們啊
能否停下來聽見孩子的吶喊
日夜躲藏在那幼小身軀裡的
有如掉入黑洞般的哀傷憂愁
何時能再見天真燦爛的笑容
脫下灰暗外衣展翅翱翔天際

～ 獻給那些不被接納的孩子們 ～

# 我

| | |
|---|---|
| I am | 我 |
| From the earth | 來自於大地 |
| Self-esteem is the base | 自我是根基 |
| Wisdom as the spring | 智慧是活水 |
| Awareness as the sun | 覺察是陽光 |
| Consciousness as the air | 意念是空氣 |
| Freedom as the breath | 自由是呼吸 |
| God as the funder | 上帝是源頭 |

# 顏色物語

粉紅 是絲綢 緞帶 棉花糖般的 臉頰
紅 是花兒 晚霞 耀眼雀躍的 心
橙 是柳丁 活力 酸酸甜甜的 勇氣
黃 是布丁 照片 模糊身影的 回憶
綠 是草山 常春藤 綿延不絕的 生命
藍 是天空 海洋 深奧無際的 眼
紫 是葡萄 薰衣草 神秘高貴的 回眸
白黑灰 是音符 想法 行進步伐的 方向
色調 是畫布 編織 千變萬化的 人生

B&T

Photo by Bochyan Topham

一個泡泡泡泡泡沫
兩個泡泡泡泡泡泡
我們在那裡相遇了
天空藍藍雲朵愛愛
什麼讓我怦然心動
臉頰粉粉神魂顛倒
想是精靈一時興起
歌頌　愛情

Couldn't help writing this poem

when Bochyan was playing this lovely song

"Petite suite : I En Bateau" By Claude Debussy

# 塵封往事

闔上雙眼 細細的 你聽見
潺潺一池 流水波動 似靜
俏皮成串 音符飛舞 似動
疾風不等 呼嘯而去 似時
戲謔不屑 虛耗而空 似寂
模糊曖昧 如煙似夢 魅影
無所不在 揮之不去 是你
浪漫之曲 一路牽引迴盪

## 仕女圖

畫眉梳妝弄鏡前
。。。
淡淡胭脂凝清香
。。。
淺淺笑窩顛眾生
。。。
巧手撥琴亂心房

153

# 情在

雨灑下
是我匯集思念的淚水
雪花飄
是我堅持信念的約定
風吹起
是我忍不住傾吐的耳語
花綻開
是我歡心展現的容顏
你若
揚長而去
請記得
我在　我都在

她。。。
自有迷人之處
日光下 青春洋溢
細雨中 朦朧曖昧
入夜時 神秘性感
濃妝淡彩 霧裡塵下
有著雞尾酒般 高雅香甜
又不時散發著 文藝氣息
喔那兒來的勇氣
別去目光 拒絕思念
令人眷戀 不捨的
城市風情

from Taipei to London

悲情城市
悲情城市
505M 觀海亭

那些留不住的行雲流水

總是由它特有的行徑

靜悄悄不經意地出現

時間久遠的不知所云

模模糊糊舊舊的曾經

是讓人駐足的歡樂

還是刻意擦拭的不悅

泛黃的照片試著說故事

A lovely photo of Michael, Peter & grandparents

at Johannesburg International Airport 1970

窗外寒風細雨　蕭瑟相映
暖呼呼熱騰騰　炊煙裊裊
屋內溫馨濃郁　陶然聞香
明亮清澈　端上一碗湯
輕輕吹　陣陣漣漪　品抿
隨意攪拌　昨日的點滴
與浮現的情緒　調味
放在恰好的時間　發酵
冷冷熱熱　走過一番
欣喜與憂傷　相逢的路
再自然的回歸　平行而終

路奔黃昏鄉野路

時刻不睬狂嘯過

手撕日曆飛滿天

世事未定福與禍

淡看無常且惜緣

儘管我在世界的角落
超越形體的意念
常常飛快地
思想起遠方的你們
也就不覺得孤單了

說起是否　同樣的季節
陽光撒落　芒草的山丘
微風吹過　浪似的花海
紅通通　微笑的臉頰
忘形的快活　舞動情緒
任性的陶醉　融入這美
走過的 déjà vu　少了什麼
莫名的惱人　吹亂了髮
由不得　禁不住　飄泊

砌一壺茶
濃郁之情
回味遙想
唇齒之間
徒留遺夢
憶起雙親

水煙裊裊
盡在茶香
歡聲談笑
盡是思念
日夜不歇
任風催淚

---

*Making a pot of tea, steaming*

*Rich feelings, in tea fragrance*

*Aftertaste brings back, laughing and talking*

*Sipping, is the thought*

*Just leave the unfinished dream, day and night*

*Recall tears for parents, let them flow in the wind*

福

深藏雪地難耐寂
寒霜轉眼又是陽
喜見花朵初露芽
白裡嫣紅紫橘黃

#二零一八初春之3月雪

聆聽悅耳鳴鳥聲

忽近忽遠 愉悅

穿梭小徑循花香

彎彎曲曲 不累

起身尋覓熟身影

風吹無奈 人去

憶起話語引人思

來回咀嚼 玩味

# *Pleasure*

問　未向世界顯露的　內在
雨洗刷　雪深埋　風煙滅
連帶歲月無情　帶走了記憶
唯有那心　曾經忠實的舞動
熾熱雕塑　生命力的展現
殆盡的　沈浸為養分存留
騰出空白　畫你我如浮雲
不捨無形的意識　任冥想竄流
緊緊擁抱瞬間

肆 章

# 自遊自在

Chapter IIII

# Free and easy

# 你

城市 不覺擁擠

鄉村 不覺空曠

山丘 不覺坡陡

海洋 不覺深險

沙漠 不覺乾燥

獨處 不覺無聊

春雨潮 夏陽曬

秋風凜 冬雪寒

各自美好 只因

有你 不覺寂寞

## 門

穿過那彎彎曲曲的長廊
只為了滿足我的好奇
打開過往已久的那扇門
不想久留地輕輕探望
深埋在內心的某個角落
封存著父母長輩的期待
根深蒂固的價值與判斷
點滴澆灌塑造了今天的我

關上門回到屬於我的時代
面對今與昔社會的變遷
怎麼看內外的衝突與疑惑
時來的歡樂拌著茫然與焦慮
在過去與未來的交界處
試圖找出平衡的立足點
時間正站在我這裡督促著
往前邁進打開下一扇門

## 等待

天 斗大的藍
獨 不見我的 雲
行者 漫遊 無 際
牽 風鈴 輕盈地 舞
引 風箏 一覽 世界
你 在某處 等待 如我
#天 獨行者 牽引你
#藍雲際舞 世界如我

## 留。離

我離
離我

形體 規則 框不住你我

你留
留你

距離 放大 美麗的思念

## 不停的錯過

總是以為時間還早
既定走不完的行程
更重要做不完的事
於是我們就這樣的
你來我往一前一後
永無止境的
不停的錯過

## 廁窗

我起身瞥見那窗外
呈現如此完美角度
遠處藍天白雲細沙
近處暖陽點照樹頭
枝葉迎風自然搖曳
空氣飄盪清新海味
多想就此停留歇息

PAX
VT
IN OMNIBVS
DEVS
GLORIFICETVR

# 梅雨

雨以輕快的節奏拍打
漫不經心的灑落一春
花兒樹枝也雙雙起舞
空氣瀰漫著清新香頌
我迫不即待的小花傘
竟自的指揮起那彷彿
屬於梅雨季的變奏曲
邀請與世者共享盛宴

## 不等

妳盛裝打扮不多不少
在盛陽之下嬌豔欲滴
在湖邊小徑各自展現
不經意地留下倩影
以為無論何時⋯都在
卻隨著太陽西下離去
留下惆悵的我⋯追逐

# 頌晨

晨揚推雲　馥大地

風搖攬樹　舞花境

氣香環居　意興安

琴音繚廊　歡樂頌

痴戀懷情　擁山嵐

Enbrace the Land

Dance with Flowers

Mind your Peace

Play with Songs

Huged by Mountain Breeze

## 機場

層層漫長通道
形色川流不息

各自東西過客
遠近來去交錯

無法承諾的氛
終究不能駐足

……我的起點站
……你的轉運站
……他的終點站

## Airport

Nonstop people coming and going
Through terminals east and west
Passing each other without promises
After-all can't stay

My starting point
Your transfer-station
His destination

## 拼圖

就停下來喝杯茶
找個舒服的位置
歇一會兒聊聊天

讓我試試以你的角度
寫下你的故事

而在書寫故事的同時
很自然的你已成為
我人生故事中的部份
……一塊拼圖

# 冬眠

寒風颼颼利如刉
剔透鏗鏘聲如冰
氣息絲絲薄如霜
思緒緩緩靜如松
久候不語形如眠
陽光何時來入夢

# 交集

你的白天 我的夜晚
我們曾在 綠意盎然的春
各自忙碌 熱鬧喧囂的夏
自然的 懷念起楓紅的秋
一年來去 又是蟄伏的冬
會不會 我近了你又遠了

# Intersection

Your day, my night

We were in, the greenery of spring

Each busy, the bustling of summer

Naturally, missing red maple of autumn

A year comes and goes, hibernation of winter

Is it, I'm closer you are farther

# 消逝的路

看著我雙腳走過的路
曾經的掙扎　迷惘
我與世界的距離
多年以前　和　多年以後
我在乎的　和　我不在乎的
是否　以同等的速度　消逝

## Fading path

Looking at the path
My feet have stepped
Once the struggle and confused
Before years and after years
I care and yet I don't
Whether or not
At the same pace
Fading away

# 欲留

追著太陽
為了留住你的腳步
點著蠟燭
為你照亮回家的路
想必未必是 多想了
越是接近 越是模糊
只因 夜來的太快

## 暫　別

窗外　同樣的凝視

尋不著一絲熟悉的樣式

冰冷悄悄地介入

白雪亮麗的衣妝枯枝

玻璃上顯露的光影

似是你微弱的訊息

抗拒不了這般峻容

臉紅　缺了暖和的氣

凝結　僵了給你的話

冬眠的魔咒撒下　暫別

一扇紅色的門
門後想不起的問號
是什麼凝結了青春
鎖住了單純的熱情
沾滿的厚塵　若啟
只怕撢了一身黑
終究存夢　這謎
至少　有過色彩
叫做。。。歲月

# 一迴

拾起　再放下　反反覆覆
從一個城鎮到一個城鎮
天空一樣藍　兩樣情懷
總是含糊不清的滋味　慢慢浮現
試著吐出無奈不悅　嚼出幸福
感傷隱隱　無時無刻伺機而動
炙熱陽光加速流動的血液
強行置入改變了生活步調
而我珍貴的幽默　遺忘在故鄉

# 二迴

打開電視和散佈桌上的零食
再熟悉不過的動作　日復一日
一成不變的作息想來也是安慰
置身其中的煩躁止於一陣清涼
也許是簡易地人事物間的流動
少了熱情不語是旁觀者的淡定
生活　生命與活力　思想在夾層
留戀　流連忘返　何嘗不是貪求
無念　只因過於接近反而失真

## 三迴

抽身而入時空膠囊　新鮮重溫
急忙上色　刻意遺忘的空白
減緩陳舊過時發酵的速度
冥想鹵香甜暖的氛圍　奢侈了
能行不止於觀　多份瞭然踏實
一惦二探三悟　不知覺路已遠
喃喃自語　自娛娛人　異地亦然
存滿記憶點滴　如影隨行天涯
風微微　手甸甸　就此揮別多餘

---

後記：

原本旅程終了　在飛機上寫下三不迴

一時手殘按到消除鍵　無奈想不起寫了什麼...

也許是要三迴　才有敘文...

農場收割接近尾聲　秋天叩門了

## 編者的話

以圖伴文　各為主客　靜待巧遇共鳴

所有內容皆保留原貌　文字的空間段隔　與相片的清析瑕疵

都是語氣　也都是當下的痕跡

如同人生的每一步　都很美

很開心此生能與家人合作

我們都是所愛的人的另一隻眼

張肖龍

we all are our love one's left eye

M
Y

L
E
F
T

E
Y
E

Author : Iris Chang

Publisher : Michael Topham

Design and Editor : Bruce Chang

Binding Design : Silk Dew

Publishing House : Silk Dew Co. Ltd.

Address : 12F-1, No. 460, Guangfu South Road,
Daan District, Taipei, Taiwan

Email : communicationfree@gmail.com

Tel : + 886 938 735777

Plate making and printing : Bochuang Graphic Arts

Publication Date : August 2022

Price : GBP£ 14



National Central Library Publication Index (CIP)

My Left Eye : Iris Chang

Taipei : Silk Dew Co. Ltd. / 2022.8

200 / page ; 14.8 x 21 cm

ISBN 978-626-96346-0-6 (Paperback)

1. Poems 2. Photography

863.51 111010929

左窗之旅

作　者：張意如

發行人：佟文邁

美術主編：張肖龍

裝幀設計：絲露思路

出　版：絲露有限公司

地　址：台北市大安區光復南路460號12樓之1

郵　箱：communicationfree@gmail.com

電　話：+ 886 938 735777

製版印刷：博創印藝

出版日期：西元二〇二二年八月

定　價：新台幣 470元整



國家圖書館出版品預行編目(CIP)資料

左窗之旅 ： My left eye ／張意如作

臺北市： 絲露有限公司／ 2022.8

200／面；14.8 x 21 公分

ISBN　978-626-96346-0-6　(平裝)

1. 詩集　2. 攝影

863.51　111010929